Biblioteca visual juvenil

Grandes civilizaciones

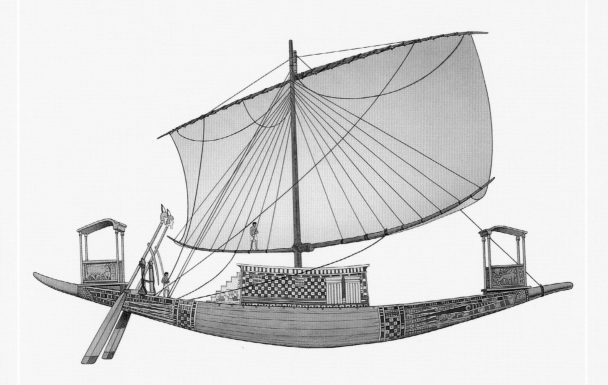

LIBSA

© 2006, Editorial LIBSA
C/ San Rafael, 4
28108. Alcobendas. Madrid
Tel. (34) 91 657 25 80
Fax (34) 91 657 25 83
e-mail: libsa@libsa.es
www.libsa.es

Título original: *Ancient Worlds*

Traducción: Alicia de la Peña
Edición: Azucena Merino

© MM, Orpheus Books Limited

ISBN: 84-662-1157-8

Ilustradores: David Bergen, Simone Boni, Stephen
Conlin, Ferruccio Cucchiarini, Giuliano Fornari, Luigi
Galante, Andrea Ricciardi di Gaudesi, Gary Hincks,
Shane Marsh, Steve Noon, Nicki Palin, Alessandro
Rabatti, Rosanna Rea, Claudia Saraceni, Alan Weston.

CONTENIDO

ASIA Y EUROPA

LA ANTIGUA GRECIA

LOS ROMANOS

CHINA

CIVILIZACIONES DEL MUNDO

LOS PRIMEROS HOMBRES

LA PRIMERA EVIDENCIA de criaturas parecidas a los hombres, u homínidos, se remonta a más de cuatro millones de años en África. Son restos de criaturas similares al mono que han recibido el nombre de *australopitecus* (monos del sur). Al esqueleto de uno, encontrado en Hadar, Etiopía, en 1974, se le llamó Lucy (más tarde se descubrió que era un macho). Los científicos afirmaron que, aunque Lucy tuviera la postura de un chimpancé, se mantenía erguida y andaba sobre sus extremidades inferiores, rasgo característico de los homínidos.

Los humanos y los simios descienden del mismo ancestro, que podría ser el *egiptopitecus,* o mono egipcio. Vivió en Egipto hace unos 35 millones de años y trepaba por los árboles a cuatro patas. De todos sus descendientes, sólo los humanos hemos desarrollado el bipedalismo.

Egiptopitecus

El bipedalismo permitió a los homínidos desarrollarse de manera diferente a otros mamíferos. Podían usar las manos para otras labores. Hace unos 2,5 millones de años, el *homo habilis* (hombre hábil) apareció en África. Fue probablemente el primer hombre verdadero, aunque seguía teniendo aspecto de simio. El *homo habilis* podía usar herramientas simples de piedra, y no sólo los dientes y las manos para matar y preparar los animales de los que se alimentaba. Fabricaba las herramientas golpeando una piedra contra otra para afilar los bordes. Estas tempranas herramientas de piedra son tan sencillas que parecen simples piedras desgastadas.

Los *australopitecus* parecían simios pero caminaban erguidos. Medían entre 1 y 1,5 m, tenían los brazos largos y las piernas cortas y un pequeño cerebro en un cráneo de frente ancha.

El homo habilis (derecha) fue probablemente el primer humano verdadero.

DESCUBRIR EL FUEGO

Masticar carne cruda debió suponer un gran esfuerzo, pero ocurrió miles de años antes de que el hombre pudiera ablandar la comida cocinándola. Puede que los primeros hombres descubrieran el fuego observando cómo los rayos a veces incendiaban los árboles. Especies más inteligentes de hombres, como el *homo erectus* u hombre erguido, aparecieron por primera vez en África hace unos 1,8 millones de años. Al ser más alto, más delgado y capaz de moverse con rapidez por la pradera, el *homo erectus* aprendió a cazar animales más grandes con armas más afiladas. Fue el primer homínido que abandonó el continente africano y viajó hacia el norte y el este. Se han encontrado restos en China, Java y Europa. El *homo erectus* tenía mandíbulas prominentes y espesas cejas, vivía en grupos y cocinaba sus alimentos en el fuego.

China, hace 500.000 años. Un grupo de *homo erectus* acampa para pasar la noche. Se ha encendido un fuego y se ha cortado la comida para cocinarla. El fuego también ayuda a mantener alejadas a las fieras.

Los machos *homo erectus* salían a cazar mientras que las hembras recogían bayas y cuidaban de los más pequeños. Los huesos encontrados en el lugar de uno de sus campamentos en China muestran que cazaban y mataban elefantes, rinocerontes, caballos, bisontes, búfalos de agua, camellos, jabalíes, ovejas y antílopes. No es posible que los cazadores capturaran y mataran animales tan grandes como éstos con armas tan sencillas a menos que tuvieran un cerebro más grande y fueran más inteligentes que sus ancestros. Puede que el *homo erectus* tuviera una capacidad de habla simple, aunque aún tenía pesadas mandíbulas, desarrolladas para masticar carne cruda.

Los cazadores recolectores siempre estaban en movimiento. Por las noches, dormían en cuevas o construían sencillos refugios con ramas y pieles. Las hembras recogían madera para encender un fuego que sirviera para mantener el calor y cocinar la comida. Los machos fabricaban herramientas de piedra –hacha incluida–, que podían usarse para cortar la comida.

HOMO SAPIENS

HACE 750.000 AÑOS, empezó a aparecer gente con un aspecto más moderno: los primeros *homo sapiens* (hombre inteligente). Se han encontrado restos en África, Europa y Asia. Algunos científicos creen que el *homo erectus* evolucionó en el *homo sapiens* en distintos continentes, pero la mayoría dice que el *homo sapiens* se desarrolló en África desde donde se extendió.

Los hombres modernos, a los que se ha denominado científicamente *homo sapiens sapiens*, aparecieron hace 125.000 años y llegaron a Europa hace 40.000. Ya no tenían ni la frente prominente ni las grandes mandíbulas del primitivo *homo sapiens*, sino frentes altas y barbillas huesudas. Su cerebro era más grande que el de sus antecesores, aparte de los *neandertales*. Han sido los únicos humanos sobre la tierra desde que los *neandertales* desaparecieron.

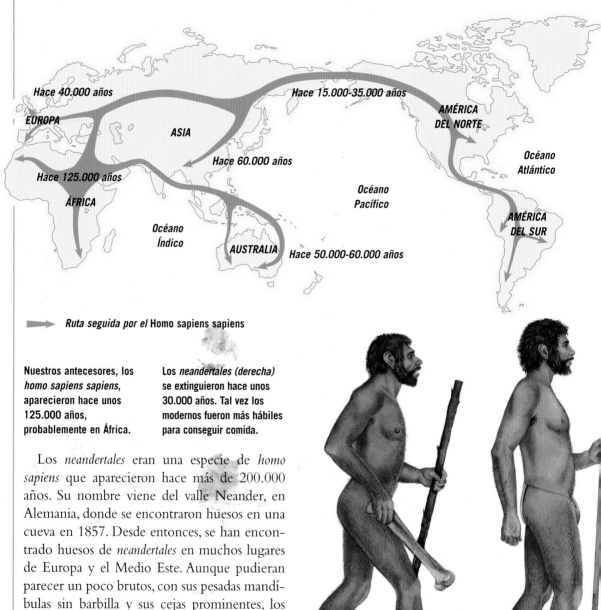

Hace 40.000 años

EUROPA

Hace 15.000-35.000 años

AMÉRICA DEL NORTE

ASIA

Hace 60.000 años

Océano Atlántico

Hace 125.000 años

ÁFRICA

Océano Pacífico

AMÉRICA DEL SUR

Océano Índico

AUSTRALIA Hace 50.000-60.000 años

Ruta seguida por el Homo sapiens sapiens

Nuestros antecesores, los *homo sapiens sapiens*, aparecieron hace unos 125.000 años, probablemente en África.

Los *neandertales (derecha)* se extinguieron hace unos 30.000 años. Tal vez los modernos fueron más hábiles para conseguir comida.

Los *neandertales* eran una especie de *homo sapiens* que aparecieron hace más de 200.000 años. Su nombre viene del valle Neander, en Alemania, donde se encontraron huesos en una cueva en 1857. Desde entonces, se han encontrado huesos de *neandertales* en muchos lugares de Europa y el Medio Este. Aunque pudieran parecer un poco brutos, con sus pesadas mandíbulas sin barbilla y sus cejas prominentes, los *neandertales* tenían el cerebro más grande que los humanos modernos y, por lo que sabemos, fueron los primeros en realizar ceremonias religiosas y en enterrar a los muertos con sus posesiones para la otra vida.

Hombre moderno

Neandertal

Los hombres empezaron a pintar y a dibujar en las paredes de las cavernas hace miles de años, mucho antes de que aprendieran a escribir. Los ejemplos más famosos de pinturas rupestres se encontraron en Lascaux, Francia, en 1940 *(abajo)*. Se pintaron hace 18.000 años con colores hechos con los minerales de las piedras. Para aplicar el color a las paredes usaban palos o las palmas de las manos.

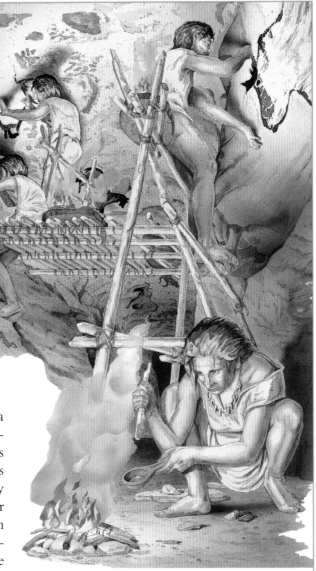

Pinturas rupestres

La vida para los primitivos nómadas consistía principalmente en cazar para comer. Los descubrimientos de pinturas rupestres y otras obras de arte nos muestran que algunos de estos hombres creían que con determinados ritos y costumbres religiosas sería más fácil conseguir alimento. Las pinturas rupestres no se hacían para exhibirlas. Se pintaban, o a veces se grababan, en paredes y techos oscuros donde nadie pudiera verlas. El artista tenía que utilizar antorchas para ver y subirse a una escalera para llegar al techo. Los animales están pintados con gran realismo y colores brillantes.

También dejaban la marca de las manos colocando la palma en la pared y pintando a su alrededor.

El hecho de que las pinturas estén escondidas sugiere que podrían haber sido parte de algún ritual secreto para conseguir más caza. La gente creía que las pinturas les ayudarían a cazar más animales. O quizás pensaban que dibujando estos animales aseguraban su multiplicación de forma que siempre habría muchos para cazar. Es posible que muchas de las pinturas fueran copias de lo que el artista veía a su alrededor. Independientemente de los motivos, los hombres pintaron y esculpieron en las paredes de las cavernas durante unos 20.000 años y se han encontrado muestras en Europa, África, Asia, las dos Américas y Australia. Nos dan muchas pistas sobre los cambios climáticos y el entorno.

CAZADORES-RECOLECTORES

CON EL TIEMPO, los cazadores mejoraron las armas y técnicas para encontrar animales. También eran capaces de capturar a los animales más grandes llevándolos a lo alto de una colina o metiéndolos en ciénagas. A medida que fueron desarrollando el lenguaje pudieron comunicarse entre sí, lo que también hizo la caza más fácil y efectiva.

El período Paleolítico o edad de piedra antigua describe el tiempo que transcurre entre la primera vez que se usaron herramientas simples (hace 2,5 millones de años) hasta el comienzo del período Neolítico o edad de piedra moderna, cuando los hombres empezaron a trabajar la tierra y a cultivar cereales (hace 12.000 años).

Los cazadores utilizaban lanzas, arcos, flechas y cuchillos para matar a sus presas y anzuelos para pescar peces en lagos y ríos. No paseaban sin rumbo fijo esperando que los animales aparecieran ante ellos. Estudiaban la configuración del terreno y dónde era más probable que los animales se juntaran para resguardarse. También observaron que algunos animales se iban a otras zonas cuando el tiempo se hacía más frío o más cálido. La observación de su entorno les ahorró mucho tiempo y esfuerzo y les hizo la vida más fácil.

La mayoría de los cazadores-recolectores vivían en pequeños grupos de dos o tres familias, ya que un mamut lanudo o un visón duraba más tiempo si había que alimentar a pocas personas. A veces los grupos se hacían más grandes si había mucha comida en los alrededores. Es posible que cada grupo hubiera tenido un líder que tomara las decisiones por los demás e hiciera los planes.

Hace 20.000 años aproximadamente el mundo vivía en la cruda era glacial. En las regiones del norte abundaban enormes mamuts lanosos, que eran presa de los cazadores.

Los cazadores tenían lanzas de madera con la punta de piedra para capturar las presas. Se usaban trozos de madera o de hueso como tiradores de lanzas. Los pescadores cogen los peces del lago con una red, mientras las mujeres recogen frutas y nueces. El grupo no permanecía en el mismo lugar durante mucho tiempo; cuando los animales se movían los hombres les seguían.

RECOLECTAR PLANTAS

Cazar era importante pero la recolección era vital porque proporcionaba una dieta más variada. Los hombres empezaron a descubrir dónde crecían determinadas nueces, frutas y hierbas. Aprendieron que las abejas fabricaban miel, que servía para endulzar la comida. Cavaban en la tierra para encontrar raíces y tubérculos. Las plantas les proporcionaban una fuente regular de alimento que servía para alimentar al grupo cuando escaseaba la caza. Pero la caza se mantuvo como parte esencial de la dieta.

FABRICAR ROPA

La piel de los animales tenía muchas utilidades, entre ellas, la de fabricar ropa. Primero, había que preparar las pieles para que no se agrietaran. Cada piel se extendía en el suelo y se raspaba para eliminar la grasa del animal. Luego se suavizaba con una herramienta de hueso para hacerla flexible y fácil de manejar. Cuando las pieles estaban preparadas, se cortaban con un cuchillo de piedra. Se hacían agujeros a lo largo de los bordes para poder coser las pieles juntas usando una aguja de hueso e hilo fabricado con tendones de los músculos de los animales.

Al final del día, el grupo se reúne en el campamento. Construían los refugios con cualquier material que estuviera a su disposición. Algunas tiendas estaban hechas con pieles de animales colocadas sobre una estructura de madera. Los cazadores de mamuts construían tiendas en forma de iglú con huesos de animales. Las cabañas también se hacían entretejiendo ramas sobre una estructura de palos. Podían cubrirse con pieles de animales para dar más calor.

Las cabañas o tiendas se agrupaban en círculo para protegerse de los animales salvajes y del mal tiempo. El fuego también ayudaba a mantener a las fieras alejadas.

LOS PRIMEROS CAMPESINOS

LOS CAZADORES y los recolectores del período Paleolítico tardío consiguieron otros importantes avances. Domaron o domesticaron animales salvajes, como los lobos, que se convirtieron en los primeros perros de caza. También se dieron cuenta de que las semillas de las hierbas que recogían se podían plantar y producían más plantas.

Tras estos descubrimientos, pudieron asentarse y formar comunidades. Las primeras comunidades agrícolas comenzaron hace 12.000 años. Los campesinos plantaban formas tempranas de trigo y cebada que crecían salvajes en las colinas y domesticaban animales como ovejas y cabras para conseguir leche y carne.

Los campesinos necesitaban sol y agua para sus cereales. Las primeras comunidades se asentaron en las orillas de los ríos de las cálidas tierras del Medio Este y del norte de África. Algunos cultivaron las fértiles tierras a orillas de los ríos Tigris y Eúfrates en Mesopotamia. Otros se asentaron en el valle del río Nilo en Egipto.

Algunos grupos de familias construyeron casas de barro y ladrillo agrupadas en forma de aldeas. Aprendieron a fabricar lo que necesitaban para cultivar: herramientas para trabajar la tierra, cestas para recoger cereales y cuencos para almacenar la comida. Los primeros campesinos utilizaban herramientas muy sencillas; por ejemplo, palos con los que hacían agujeros y zanjas poco profundas en la tierra para plantar las semillas.

ARAR LA TIERRA

Usando estos métodos, el cultivo era lento y laborioso. Los campesinos sólo podían cultivar lo suficiente para alimentar a sus familias, lo que significaba que todos los miembros capacitados de la comunidad tenían que trabajar para sobrevivir.

Se necesitaban nuevas herramientas para producir alimento con más eficacia. Una de ellas fue el invento del arado. Probablemente, el primer arado fue una rama con puntas en forma de tenedor que se arrastraba por el suelo para levantar la tierra.

La mayoría de las evidencias sobre los primitivos arados nos llegan a través de las pinturas rupestres. Sabemos que el arado simple se utilizó en Mesopotamia hacia el 4500 a.C. y en el antiguo Egipto hacia el 2600 a.C.

La ciudad de Jericó, en el río Jordán, tenía murallas para que sus almacenes de grano estuvieran a salvo de los ladrones. Los granjeros trabajaban la tierra en el exterior, pero por la noche dormían a salvo en el interior de las murallas de la ciudad.

Los primeros campesinos de Mesopotamia utilizaban cuchillos para recolectar el trigo (1). Los tallos ya cortados se golpean con palos para separar las semillas (2). Éstas se convierten en harina para hacer pan (3).

LAS PRIMERAS CIUDADES

L AS PRIMERAS CIUDADES se construían con ladrillos y barro pero se acababan derrumbando con el tiempo. Cuando las casas ya no se podían utilizar, se construían unas nuevas sobre sus ruinas. A medida que se construían edificios uno encima del otro, se formaba un montículo, llamado *tell* en árabe y *hüyük* en turco.

Poco a poco crecieron las ciudades en algunos de estos emplazamientos. La antigua ciudad de Çatal Hüyük *(abajo)*, en Turquía, no tenía murallas exteriores. Las casas estaban todas unidas y no había calles. Había una escalera hasta el tejado de cada casa donde se abría una puerta para entrar. La gente se movía cruzando por los tejados. Cuando se retiraban las escaleras, la ciudad quedaba a salvo.

La mejora en los métodos agrícolas permitió que quedara gente libre para otras tareas. En Çatal Hüyük, los artesanos fabricaban adornos, joyas y vestidos para comerciar. Fabricaban espejos abrillantando un oscuro mineral parecido al cristal que se llama obsidiana.

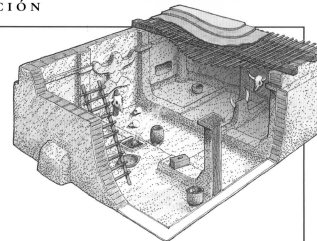

Las casas de Çatal Hüyük tenían un salón, un almacén y un santuario. Esta ilustración *(arriba)* nos muestra cómo era este lugar sagrado. Contenía figuras de yeso de los dioses y a veces pinturas de animales en las paredes.

La antigua ciudad de Çatal Hüyük, en lo que hoy es Turquía, data del año 7000 a.C. Los arqueólogos piensan que allí vivían alrededor de 5.000 personas. Las casas estaban unidas, sin calles que las separaran. La entrada a las casas se hacía a través de una puerta en los tejados. Si se retiraban las escaleras, era casi imposible entrar; un útil método de defensa. Los habitantes enterraban a sus muertos bajo unas plataformas debajo de sus casas. Previamente, dejaban los cadáveres fuera para que se secaran bajo el fuerte sol.

LOS PRINCIPIOS DE LA ESCRITURA

CUANDO SE EMPEZÓ a comerciar, se necesitó llevar un registro de las mercancías. Los antiguos sumerios inventaron la escritura en Mesopotamia hace unos 5.500 años. Las primeras letras eran una serie de marcas hechas sobre tablillas de piedra. Más tarde, los escribas escribieron sobre tablillas de arcilla usando una caña llamada *stylus*. Las primeras muestras de escritura tenían forma de dibujos. Era muy lenta; había un dibujo para cada palabra y los escribas debían aprender más de 2.000 símbolos.

Símbolos sobre tablilla de arcilla (izq.). Los símbolos fueron sustituidos por la escritura cuneiforme. Abajo, dos palabras escritas en ambos estilos.

Toro   Pez

Un escriba registra el número de ovejas y cabras que tiene un campesino. Está haciendo símbolos sobre una tablilla de arcilla, usando un *stylus* con un extremo en forma de cuña. Este método era lento y complicado y sólo lo dominaban unos pocos escribas. La gente normal no tenía una forma de llevar sus registros, así que contaban con los dedos.

Gradualmente, los mesopotámicos desarrollaron un método de escritura usando símbolos. Se denomina escritura cuneiforme, del griego «con forma de cuña». El extremo en forma de cuña del *stylus* se usaba para marcar los distintos símbolos sobre la arcilla blanda. Pero incluso este sistema empleaba unos 600 símbolos. Aun así, los asirios, los babilonios y los persas adoptaron este sistema de escritura cuneiforme.

La escritura primitiva era lenta y laboriosa y sólo unos pocos podían escribir o leer los símbolos. Durante siglos, se usó principalmente para registrar los impuestos y los detalles de las propiedades y las ventas. Más tarde, se dieron cuenta de que las palabras y las sílabas estaban hechas de unos pocos sonidos y que cada sonido se podía representar con una sola letra. Los primeros en darse cuenta de esto fueron los cananeos, que vivían en la costa este del Mediterráneo. Desarrollaron un alfabeto conocido como «semítico». Después de esto, fueron apareciendo otros alfabetos. Los fenicios usaban un alfabeto que sólo tenía consonantes. Los griegos lo adoptaron e introdujeron las vocales. Fue el principio del alfabeto moderno.

La palabra alfabeto viene de alfa y beta, las primeras dos letras del alfabeto griego. Los romanos desarrollaron su alfabeto (el que todavía usamos hoy en día) a partir de versiones tardías del alfabeto griego; algunas de las letras son similares.

Los chinos nunca han tenido un alfabeto. Su escritura consiste en miles de símbolos o caracteres.

La escritura se inventó por razones prácticas, pero es uno de los mayores progresos de la historia. De hecho, la historia misma no pudo registrarse hasta que no se escribió.

Una sociedad en la que la gente vive en ciudades, donde muchos trabajan como artesanos, escribas, constructores, comerciantes y otras ocupaciones, se describe como una sociedad civilizada. Las primeras civilizaciones crecieron en el Medio Este, en India, China y Egipto.

EL ANTIGUO EGIPTO

UNA DE LAS CIVILIZACIONES más importantes se desarrolló a lo largo de una estrecha franja de fértiles tierras a orillas del río Nilo en Egipto *(ver el mapa de la derecha)*. Los egipcios vivían rodeados de áridas tierras y las temporadas de cultivo venían dadas por las inundaciones anuales del Nilo. Su civilización duró unos 3.500 años y crearon los monumentos más espectaculares del mundo antiguo.

Los primeros egipcios eran cazadores nómadas que llegaron del desierto para asentarse en el valle del Nilo. Descubrieron que las inundaciones estivales proporcionaban tierra fértil para cultivar grano y pasto para criar ovejas, cabras y reses. Las inundaciones del Nilo eran necesarias pero también podían ser desastrosas. Si el nivel del agua subía en la época equivocada del año, se arruinaba toda la plantación de cereales. Si no había suficiente agua, los cereales no crecían y la gente se moría de hambre. Los primeros campesinos egipcios aprendieron a controlar las inundaciones construyendo diques y pozos para almacenar el agua y así utilizarla en épocas de sequía.

Con el tiempo, las aldeas se construyeron en pueblos y en ciudades y los habitantes desarrollaron un sistema de gobierno. Los artesanos aprendieron a trabajar metales como el cobre. El torno de alfarero, importado de Asia, era una valiosa herramienta. Egipto se fue enriqueciendo a medida que aumentaba el comercio.

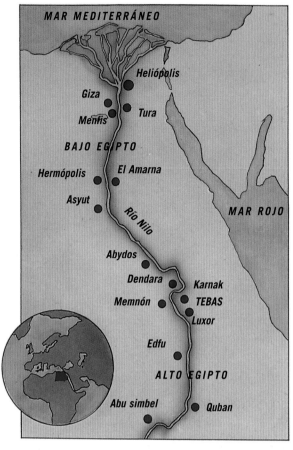

Las pirámides se construyeron como tumbas para los faraones, o reyes del antiguo Egipto. Eran increíbles obras de ingeniería para su tiempo. Muchas sobreviven hoy en día.

Hacia el año 3400 a.C., Egipto estaba formado por dos reinos, el Alto y el Bajo Egipto. Alrededor del 3100 a.C., Menes, un rey de Nekhen en el Alto Egipto, conquistó el Bajo Egipto y se convirtió en el primer faraón de los dos reinos. La historia de Egipto se divide en tres períodos principales: el Imperio Antiguo, el Imperio Medio y el Imperio Nuevo.

Durante el Imperio Antiguo (2575-2134 a.C.), la creencia en una vida después de la muerte se convirtió en una parte importante de la religión de los antiguos egipcios. Fue la época de la construcción de pirámides. Durante el Reino Medio (2040-1640 a.C.), Egipto comerciaba con otras tierras y conquistó Nubia en el sur.

El Imperio Nuevo (1560-1070 a.C.) fue la época dorada de Egipto. Con la capital en Tebas, los faraones conquistaron las tierras del Medio Este. Los faraones construyeron grandes templos. La riqueza del Antiguo Egipto atrajo a otros gobernantes. Con el tiempo, Egipto cayó a manos de los ejércitos asirios, griegos, persas y, finalmente, romanos en el año 30 a.C.

Con frecuencia, Egipto estaba en conflicto con sus vecinos y también con enemigos de tierras lejanas. Los faraones y sus ejércitos podían salir a conquistar nuevos territorios y volver a casa cargados de riquezas, fruto de la guerra. La mayoría de los prisioneros se convertían en esclavos. Las riquezas se usaban para embarcarse en ambiciosos proyectos de construcción, a menudo en honor de las conquistas del faraón. Los dos templos de Abu Simbel fueron construidos por Ramsés II (reinó desde 1290 hasta 1224 a.C.) para conmemorar su victoria sobre los hititas, un pueblo que venía de Siria. En el exterior del Gran Templo hay unas colosales estatuas sentadas del rey *(arriba, derecha)*. El templo más pequeño está dedicado a la esposa de Ramsés, la reina Nefertari.

BARCOS EN EL NILO

Los barcos del Nilo eran el principal medio de transporte en el antiguo Egipto. Los primeros barcos estaban hechos de haces de papiros (un junco que crece a orillas del Nilo) atados juntos. Tenían remos o largos palos de madera. Los barcos más modernos eran más grandes y tenían velas cuadradas. El barco de este dibujo tenía una gran vela y dos enormes timones para dirigirlo.

A través de los modelos encontrados en las tumbas, las pinturas, las esculturas, y los descubrimientos en los enterramientos, tenemos una idea muy fiable de cómo eran las embarcaciones en el antiguo Egipto. Este modelo data del período del Imperio Nuevo y probablemente era un barco real o ceremonial.

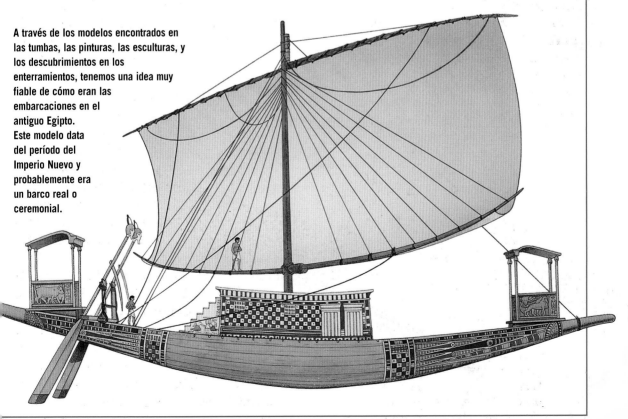

LA VIDA COTIDIANA

LOS ANTIGUOS EGIPCIOS cultivaban cereales en las negras y fértiles tierras de las orillas del Nilo. Aprendieron a regar la tierra de forma que no estuviera ni demasiado seca ni demasiado húmeda tras las inundaciones. Cavaban canales entre los campos para hacer llegar el agua a los que estaban más lejos del río. También inventaron el *shaduf* para sacar agua del río y regar los campos cercanos.

La mayoría eran campesinos que trabajaban todo el año para aportar el alimento a las ciudades. El ganado tiraba de arados para preparar la tierra donde plantar las semillas.

Los campesinos cultivaban trigo, cebada, frutas, verduras y lino. La cosecha era el momento más importante del año, ya que si no era buena la gente podía morir de hambre. Antes de recoger los cereales, los escribas anotaban el tamaño del campo y la cantidad de grano que éste podría producir. Luego se cortaba el trigo o la cebada con hoces y se hacían gavillas, que se llevaban para trillar (separar las espigas de grano de los tallos). Las reses y los burros se llevaban a los lugares de trilla para que pisaran el grano y lo separaran de los tallos. Después, el grano se lanzaba al aire con unas palas para limpiarlo y eliminar los trozos de paja y forraje.

CLAVE
1. Un *shaduf*. El peso ayudaba a levantar el cubo cuando estaba lleno
2. Usar una hoz para cortar los cereales
3. Hacer una gavilla
4. Cargar las gavillas en cestos
5. Hacer pan
6. Pescar

Tiempo de cosecha en el antiguo Egipto. Un recolector corta el cereal con una hoz mientras un ayudante ata grupos de tallos formando gavillas. Los burros cargan con las gavillas y las llevan a los lugares de trilla, que podían estar en el campo o cerca de la granja. El grano se molía para hacer harina. Esta harina se usaba para fabricar obleas planas de pan. En el río, los pescadores pescan con redes desde un bote de papiro.

En las ciudades egipcias todo lo necesario se podía obtener en los mercados. No había dinero, así que la gente cambiaba sus bienes por otros de valor similar.

Los escribas mantenían un estricto control sobre la producción de los campesinos porque los cereales no les pertenecían exactamente. Se suponía que debían entregar la mayoría de ellos al gobierno para alimentar a los que no eran campesinos. Si un campesino no producía el alimento que debería haber producido era castigado a latigazos.

Como se producía alimento con gran eficacia, mucha gente pudo dedicarse a otros tipos de trabajo. Algunos de ellos eran artesanos que tenían talleres en las ciudades. A menudo, el hijo aprendía el oficio del padre y le sucedía en el taller.

Los artesanos eran muy diestros a pesar de tener que trabajar con unas herramientas muy sencillas. Había canteros, carpinteros, alfareros, vidrieros, curtidores, hiladores, tejedores, herreros y joyeros. Los productos que hacían eran para comerciar con otros países y para los mismos egipcios.

Las casas egipcias estaban hechas de ladrillos de barro y cubiertas de yeso blanco en el exterior. Algunas tenían dos plantas. Tenían contraventanas para mantener la casa fresca. Dentro, las paredes solían estar exquisitamente pintadas con brillantes dibujos.

Los muebles eran cómodos y estaban bien diseñados. Las camas estaban hechas de mimbre con un marco de madera y la cabeza se apoyaba sobre «almohadas» de madera. Los sofás y los cojines se rellenaban de plumas de ganso y las mesas y las cajas se decoraban con diseños incrustados.

Los faraones y los nobles disfrutaban de la caza de presas peligrosas, como leopardos y leones.

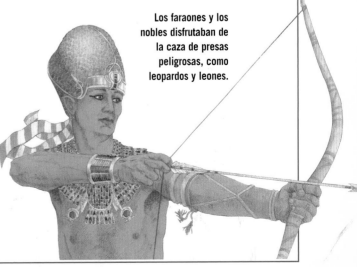

LAS PIRÁMIDES

LOS MONUMENTOS más famosos de la antigua civilización egipcia son las pirámides. Se construyeron hace 4.500 años como tumbas para los faraones de Egipto. El lugar más famoso es Giza, la única de las Siete Maravillas del Mundo que aún se conserva. En este sitio hay tres pirámides, la mayor, la Gran Pirámide, mide 147 m de alto.

Los antiguos egipcios observaban los movimientos de las estrellas, los planetas y el sol.

Creían que los espíritus de los reyes muertos se unían con los dioses en las estrellas. Las pirámides se construyeron de forma que estuvieran alineadas con la estrella Polar del norte, y sus cuatro caras miran exactamente al norte, al sur, al este y al oeste. En la base de las pirámides se erigían templos donde los sacerdotes hacían ofrendas al espíritu del rey. Se construían pequeñas tumbas de piedra alrededor de la pirámide para la familia del rey y sus sirvientes.

Los equipos de trabajadores empleaban rampas, palancas, rodillos y trineos para tirar y empujar las pesadas piedras (algunas pesaban más de 15 Tn) y colocarlas en su lugar para ir lentamente construyendo la pirámide.

Por orden del faraón, miles de hombres trabajaron durante muchos años para construir las pirámides. Primero, había que allanar el emplazamiento. Después, había que cortar a mano cada piedra y transportarlas en bote desde las canteras. La Gran Pirámide se construyó utilizando unos dos millones y medio de bloques de piedra.

ENTERRAR A LOS MUERTOS

Antes de que un cadáver pudiera colocarse en el interior de una tumba, tenía que ser preparado para el enterramiento. Todos los faraones y la gente importante de Egipto era momificada, o preservada tras la muerte. La razón de esto era que los antiguos egipcios creían que sólo preservando el cuerpo como una momia, podría seguir viviendo el espíritu. Los embalsamadores eran los responsables de este proceso.

Cuando se completaba la momia, se colocaba dentro de un ataúd de brillantes colores. El ataúd se metía en una caja de piedra llamada sarcófago, que estaba en la cámara funeraria, junto con los tesoros que el faraón pudiera necesitar en la otra vida. La tumba se sellaba entonces con la mayor seguridad. Por desgracia,

El lugar donde se colocaba a la momia se pintaba con una imagen del muerto para que su espíritu lo reconociera en la otra vida. Estaba bellamente decorado con pinturas de brillantes colores. Jeroglíficos y escenas del *Libro de los Muertos* (un libro de hechizos mágicos) eran cuidadosamente pintados para ayudar a la momia en su viaje a la otra vida.

Como resultado del hábil trabajo de los embalsamadores, muchos cuerpos no se han deteriorado miles de años después de su momificación.

Muchas tumbas y sus tesoros fueron saqueados por los ladrones, pero la del rey Tutankamón permaneció intacta durante más de 3.300 años. La tumba se descubrió finalmente en 1922. Los arqueólogos estaban realmente sorprendidos de encontrarla llena de tesoros: oro, joyas, ricos vestidos, carros e instrumentos musicales. Una bella máscara *(izquierda)* hecha de oro y joyas cubría la cara de la momia. Tutankamón sólo tenía 17 años cuando murió.

los ladrones irrumpían en las pirámides y robaban los tesoros de las cámaras funerarias. Por esto, los faraones tardíos no eran enterrados en pirámides sino en tumbas excavadas en la roca del apartado Valle de los reyes.

Se decía que si se profanaba una tumba y se robaban los tesoros las momias se enfadarían y buscarían venganza. Cuando se descubrió la tumba de Tutankamón y se vació para realizar exámenes científicos e históricos, la gente temía que el faraón muerto maldijera a los que habían entrado en su tumba.

Los embalsamadores tenían que asegurarse de que el cuerpo no se pudriera después del entierro. Primero, tenían que extraer los órganos internos (1), excepto el corazón, y colocarlos en recipientes especiales, conocidos como cánopes, decorados con imágenes del muerto o de un dios, y enterrarlos con el cuerpo. A continuación, los embalsamadores metían el cuerpo en sal, arena y especias (2) y lo frotaban con aceite, vino y resina antes de envolverlo con vendajes de lino (3). Entonces la momia estaba lista para el funeral.

El cuerpo momificado se situaba en la parte más profunda de la pirámide, y la entrada se sellaba con grandes rocas. También se sellaban falsos pasadizos que llevaban a salas vacías para confundir a los saqueadores.

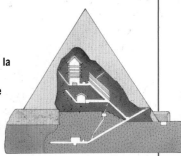

LA EDUCACIÓN

SÓLO LOS HIJOS del faraón y de las familias adineradas iban a la escuela. Las niñas se quedaban en casa con las madres que les enseñaban a cuidar del hogar, a cocinar, a tejer y a hilar. A los hijos de los campesinos también se les enseñaba en casa y se esperaba que empezaran a trabajar en el campo desde temprana edad, recogiendo cereales y vigilando a los animales. De igual forma, los pescadores adiestraban a sus hijos en sus métodos.

Muchos de los niños que recibían una educación se convertían en escribas. Los escribas tenían mucho prestigio en el antiguo Egipto. Era el principio de una buena carrera. En las ciudades, había clases para los escribas donde oficiales como sacerdotes o administradores del gobierno les educaban.

Los futuros escribas tenían que aprender a leer y escribir tanto los jeroglíficos como la escritura hierática. Los jeroglíficos, la forma más antigua de escritura egipcia, eran símbolos que se usaban para anotar registros simples o para escribir textos más complicados como poemas. Pero usar estos jeroglíficos era un proceso lento porque cada dibujo tenía que pintarse separadamente. La escritura hierática era una forma simplificada de jeroglíficos. Era más clara y fácil de usar.

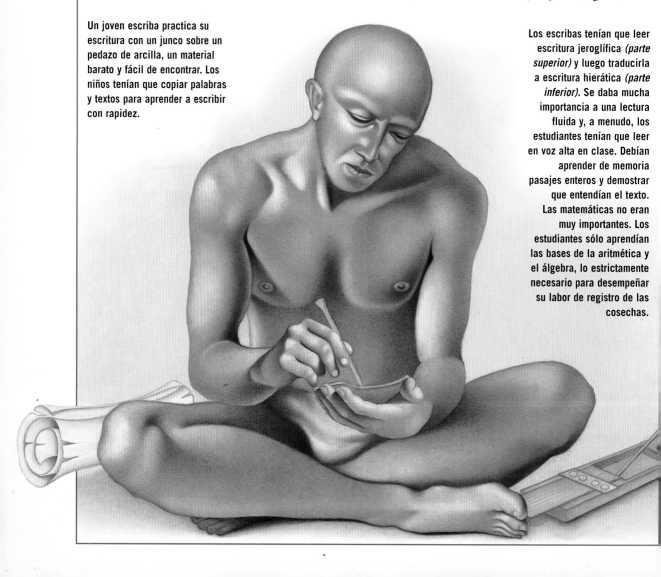

Un joven escriba practica su escritura con un junco sobre un pedazo de arcilla, un material barato y fácil de encontrar. Los niños tenían que copiar palabras y textos para aprender a escribir con rapidez.

Los escribas tenían que leer escritura jeroglífica *(parte superior)* y luego traducirla a escritura hierática *(parte inferior)*. Se daba mucha importancia a una lectura fluida y, a menudo, los estudiantes tenían que leer en voz alta en clase. Debían aprender de memoria pasajes enteros y demostrar que entendían el texto. Las matemáticas no eran muy importantes. Los estudiantes sólo aprendían las bases de la aritmética y el álgebra, lo estrictamente necesario para desempeñar su labor de registro de las cosechas.

DIOSES Y TEMPLOS

A LGUNOS DE LOS ESCRIBAS trabajaban en los templos, abundantes en el antiguo Egipto. Los templos tenían sus propias granjas, talleres, bibliotecas y Casas de la Vida, que eran las oficinas donde los escribas hacían su trabajo y copiaban documentos religiosos y otros textos para el templo. Los sacerdotes estaban bien reconocidos y muchos de ellos ocupaban importantes puestos en el gobierno.

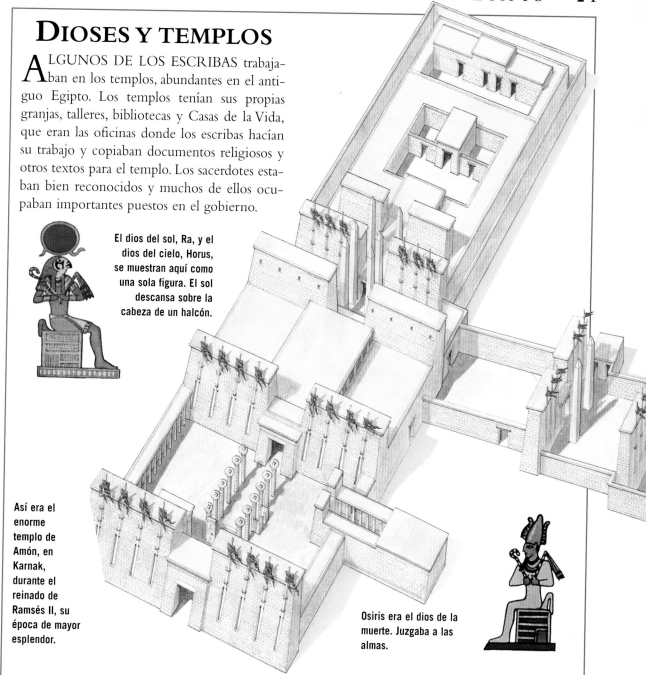

El dios del sol, Ra, y el dios del cielo, Horus, se muestran aquí como una sola figura. El sol descansa sobre la cabeza de un halcón.

Así era el enorme templo de Amón, en Karnak, durante el reinado de Ramsés II, su época de mayor esplendor.

Osiris era el dios de la muerte. Juzgaba a las almas.

Los antiguos egipcios adoraban a muchos dioses distintos y sus vidas giraban en torno a la religión. Algunos dioses eran locales y sólo se les adoraba en ciertos pueblos o distritos. Otros eran dioses nacionales y se les adoraba en las ciudades más importantes y en los templos más grandes. Entre estos dioses principales destacan: Ra, el dios del sol; Ptah, el dios de Menfis; Horus, el dios personal del rey y Amón (Amón-Ra), el dios del sol y de los faraones, que era el dios más importante de todos los de Egipto.

El gran templo de Amón, en Karnak, es una de las vistas más impresionantes de Egipto. Su construcción duró muchos años y se alargó durante el reinado de muchos faraones hasta completarse durante el reinado de Ramsés II. En el complejo del templo había salas ceremoniales y avenidas donde tenían lugar las procesiones. Miles de sirvientes y esclavos trabajaban allí. Como mucha gente adoraba a Amón, los sacerdotes de Karnak figuraban entre los más poderosos de la zona y se decía que tenían una relación especial con los dioses.

LA CRETA MINOICA

UNA DE LAS GRANDES civilizaciones del mundo antiguo se desarrolló en la isla griega de Creta. Poco se sabía de ella hasta que el arqueólogo británico, Sir Arthur Evans (1851-1941) empezó a excavar en Creta en 1900 y descubrió los restos de un magnífico palacio en Knosos. También se encontraron otros cuatro palacios en la isla. Evans y otros arqueólogos descubrieron muchos tesoros, incluyendo murales y tablillas de arcilla que hablaban del estilo de vida de la gente que había habitado allí. Pero faltaba un nexo de unión. No se pudo encontrar por ningún lado el nombre de esta misteriosa civilización; así que decidieron ponerle el nombre de Minoica, en honor al legendario rey Minos, quien, según la leyenda griega, gobernó como un tirano desde Knosos.

Los minoicos llegaron a Creta hacia el año 6000 a.C. y empezaron a construir sus palacios hacia el 2000 a.C. Hicieron fortuna comerciando por el Mediterráneo y construyeron grandes ciudades alrededor de los palacios (abajo). Creta era la más grande de estas ciudades y en su época

Los jóvenes atletas practicaban el peligroso deporte del salto del toro, que consistía en coger al toro por los cuernos y saltar sobre su lomo.

de máximo esplendor pudo llegar a tener 100.000 habitantes. Muchos eran artesanos que fabricaban bellas piezas de alfarería, joyería y metal. Los nobles minoicos vivían en villas en el campo y en las ciudades, y disfrutaban de un lujoso estilo de vida. No hay pruebas de guerras o conflictos en la isla, la vida de los minoicos fue bastante tranquila.

¿Qué les sucedió a los minoicos? Desaparecieron hacia el año 1450 a.C., probablemente como consecuencia de la erupción de la cercana isla volcánica de Thera, que desplazó grandes masas de cenizas volcánicas sobre toda Creta.

Las mujeres minoicas adineradas llevaban corpiños anudados en la cintura mientras que los hombres vestían taparrabos y tocados de plumas.

LOS FENICIOS

AL IGUAL QUE LOS MINOICOS, los fenicios eran comerciantes mediterráneos que estuvieron en activo entre los años 1500 y 1000 a.C. Habitaban la costa este del mar Mediterráneo. Al principio, se les conocía como Cananeos, pero después se les llamó fenicios, del griego *phoinos*, que significa rojo, el color de un tinte con el que comerciaban. Los fenicios era hábiles y osados marineros para su tiempo. Construían rápidos barcos de guerra para escoltar en sus viajes a los barcos mercantes. Estos barcos tenían una vela cuadrada y dos bancos de remeros. Se han encontrado muestras de sus tallas de marfil, cristal, joyas y metal por toda la cuenca mediterránea. Los fenicios se embarcaban no sólo para exportar sus bienes, sino también en busca de materias primas como metales; e incluso viajaron por la costa oeste de África.

Los fenicios dominaron el Mediterráneo durante el primer milenio a.C. En el año 814 a.C. fundaron la ciudad de Cartago, en la actual Túnez, que rápidamente se convirtió en un poderoso estado.

Muchas de las exportaciones fenicias tenían su origen en los recursos naturales de su propia tierra. En las montañas crecían cedros y pinos que podían exportarse a tierras como Egipto, donde la madera era escasa. Los árboles también producían caros aceites para la exportación. Los fenicios fabricaban cristal a partir de arena y tejían lana y lino que teñían con un tinte púrpura sacado de un tipo de caracol marino de la zona. Esta famosa tela tiria, llamada así en honor de su ciudad Tira, era una de las exportaciones más populares de los fenicios.

También desarrollaron un alfabeto usado por los mercaderes para comerciar. La escritura cananea, como era denominada, fue adoptada por los griegos y es la base de nuestro moderno alfabeto.

La civilización etrusca apareció en la Italia central hacia el 800 a.C. Conocidos por su arte y su arquitectura, los etruscos tenían relaciones con Grecia y Cartago. La música *(derecha)* era una parte importante de su cultura.

MESOPOTAMIA

MESOPOTAMIA, la fértil tierra entre los ríos Tigris y Éufrates, en el actual Irak, fue uno de los primeros lugares en ser poblados cuando la gente se decidió a formar comunidades. Los sumerios, que fueron los primeros en formar una civilización aquí, fueron conquistados hacia el año 2370 a.C. A continuación, distintos grupos de invasores fundaron nuevas ciudades-estado, que lucharon por gobernar la zona durante los siguientes 500 años. Finalmente, Hammurabi subió al trono de una de estas ciudades-estado, Babilonia, en 1792 a.C., y sometió a otras ciudades-estado bajo su control. Babilonia dominaba Mesopotamia.

Hammurabi era un rey sabio que estableció leyes que daban importancia a las mujeres, protegían a los pobres y castigaban a los criminales. A diferencia de los anteriores gobernantes, Hammurabi no se consideraba a sí mismo como a un dios. Durante su reinado, Babilonia fue una ciudad rica, la capital de un reino conocido como babilónico. Se construyeron enormes templos piramidales escalonados, llamado *ziggurats,* para adorar a los dioses. El más famoso de ellos fue la Torre de Babel. Según la *Biblia*, fue diseñada para alcanzar el cielo.

Seis siglos después de la muerte de Hammurabi en el año 1750 a.C., el reino que fundó fue conquistado por un pueblo guerrero, los asirios.

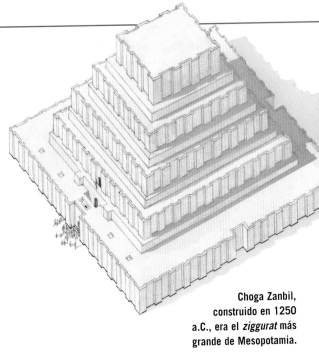

Choga Zanbil, construido en 1250 a.C., era el *ziggurat* más grande de Mesopotamia.

LOS ASIRIOS

La tierra de los asirios, en el norte de Mesopotamia, estaba cerca de importantes rutas comerciales. Querían dominar la zona construyendo un gran imperio. Siguieron muchos años de guerras, durante los cuales el imperio asirio se extendió hasta cubrir la mayor parte de Oriente Próximo. El principal gobernante durante este período de expansión fue Assurbanipal, el último gran rey asirio. Los arqueólogos encontraron 20.000 tablillas de arcilla en su biblioteca del palacio de Nínive que daban muchos detalles de las leyes asirias y de su historia.

Una de las características de la vida asiria era la caza real del león, en la que el rey y su corte salían a cazar a los leones de la montaña que eran peligrosos para la gente y el ganado. Los artistas asirios hicieron preciosas tallas sobre estos acontecimientos.

NABUCODONOSOR

Babilonia se hizo poderosa de nuevo bajo el reinado del rey Nabopolassar (reinó desde el 625 hasta el 605 a.C.) que expulsó a los asirios y retomó el poder de la ciudad. Su hijo, Nabucodonosor II (que reinó desde el 605 hasta el 562 a.C.) luchó contra los egipcios y conquistó Asiria y Judea. Construyó bellos *ziggurats* y palacios, y creó los Jardines Colgantes de Babilonia, una de las Siete Maravillas del Mundo.

Los babilonios eran astrónomos. Estudiaban las estrellas y los planetas e intentaban averiguar su posición en relación con la tierra. Creían que la tierra era un disco plano suspendido en el espacio sobre un cojín de aire. Algunos científicos de la antigua Grecia también adoptaron esta teoría.

Los matemáticos babilonios fueron los primeros en dividir los días en 24 horas, cada hora en 60 minutos, y cada minuto en 60 segundos. Estas antiguas unidades de tiempo han sobrevivido hasta nuestros días.

Científicos de Babilonia estudian las estrellas.

Nabucodonosor hizo de Babilonia la más hermosa ciudad de su tiempo. El historiador griego Herodoto la describió diciendo «sobrepasa en esplendor a cualquier ciudad del mundo conocido». Los arqueólogos excavaron en Babilonia a principios del siglo XX y descubrieron que las murallas de la ciudad formaban un círculo de casi 18 km de largo. (Por desgracia no se encontró ni rastro de los Jardines Colgantes.) Los babilonios construían con ladrillos de barro cubiertos de azulejos barnizados donde los artistas creaban diseños esculpidos.

Babilonia tenía ocho puertas en sus murallas, siendo la más hermosa la Puerta de Ishtar. Construida en honor a la diosa del amor y la guerra, esta puerta, por la que pasaban las procesiones sagradas, medía 15 m de alto. Las paredes que la rodeaban estaban cubiertas de ladrillos azules barnizados y decorados con tallas de dragones y toros.

Los dragones de las paredes de la Puerta de Ishtar eran el símbolo del dios más importante de los babilonios, Marduk. Los toros representaban al dios del rayo, Adad. Esta puerta era la entrada norte a la ciudad de Babilonia. Ha sido completamente reconstruida y ahora se expone en un museo de Berlín, Alemania.

LA EDAD DE BRONCE EN EUROPA

LOS PRIMEROS OBJETOS de metal de Europa estaban hechos de oro o cobre y datan del 5000 a.C. Estos metales, que fácilmente podían convertirse en joyas y otros objetos, eran demasiado blandos para fabricar herramientas o armas. El descubrimiento, hacia el 2300 a.C., de que el cobre podía endurecerse mezclándolo (aleándolo) con otro metal, el latón, inauguró el principio de la Edad de Bronce en Europa. Sobre el 1200 a.C., la mayoría de los herreros de Europa usaban el bronce.

En esta época, los habitantes de Europa no habían desarrollado grandes civilizaciones como se había hecho en otras partes del mundo. Vivían en simples comunidades agrícolas *(abajo)*. Se limpiaba un trozo de bosque cortando y quemando los árboles. Después, la gente construía cabañas de barro y paja y cultivaba cereales como el trigo.

Hacia el 1500 a.C., las comunidades ya se habían hecho más complejas. Los jefes de estas comunidades no eran dioses o nobles como los reyes de otras partes del mundo antiguo, sino campesinos o artesanos como el resto de los habitantes. Sin embargo, estos líderes o jefes querían tener el reconocimiento correspondiente a su rango. Les gustaba llevar ropa lujosa adornada con oro, así como costosas armas de bronce en señal de su valor como guerreros. A la muerte del jefe, estos tesoros se colocaban en su tumba para que los utilizara en su otra vida.

Algunas de las comunidades europeas que trabajaban el metal vivían en fuertes. El jefe vivía cerca del centro del asentamiento, que estaba rodeado de empalizadas (vallas altas) de madera y diques para protegerlo contra los enemigos invasores. Hacia el 1250 a.C., se usaban espadas y cascos de bronce. Los herreros eran tan importantes que sus talleres se construían dentro del fuerte, mientras que los campesinos vivían en sencillas cabañas en el exterior.

Una comunidad agrícola del 1500 a.C. Los campesinos tenían sencillos arados para trabajar la tierra y bueyes para tirar de ellos. Aquí, el granjero ara la tierra antes de plantar el trigo. La gente produce todo lo que necesita dentro de la aldea. Cortan madera para las hogueras y tejen hilo para hacer ropa. Si pueden cultivar suficiente alimento, lo cambian por otros productos como el metal.

Por esta época, el trabajo con el bronce estaba muy adelantado. Por toda Europa aparecieron nuevos tipos de armas, incluyendo armaduras y escudos. El bronce ya no era un metal caro usado sólo por los más ricos, pues también se utilizaba en herramientas y adornos. La demanda de bronce provocó un aumento en el comercio. En el norte de Europa se cambiaban pieles y ámbar (una resina fósil de color amarillo usada para hacer cuentas de collares) por bronce, y los herreros escandinavos se hicieron expertos en trabajar este nuevo metal. En Europa, los jefes se hicieron ricos con el comercio del bronce.

MONUMENTOS DE PIEDRA

Hacia el 2000 a.C., se empezaron a construir monumentos de piedra para adorar a los dioses. Para construir Stonehenge *(abajo),* que está en la llanura de Salisbury en el sur de Inglaterra, se transportaron enormes piedras por toda la llanura con ayuda de rodillos que se colocaban en profundos hoyos para después izarlos.

LA ANTIGUA GRECIA

A HISTORIA de la antigua Grecia comienza con los micénicos, un pueblo guerrero que desarrolló una civilización rica y poderosa hacia el 1550 a.C.

Los primeros pobladores de Grecia vivían en sencillas casas de piedra y trabajaban la tierra. Este pueblo, que después se llamó micénico, empezó a comerciar por el Mediterráneo y entró en contacto con la civilización minoica de Creta. De los minoicos tomaron muchas ideas y habilidades y desarrollaron una fantástica artesanía propia.

Sin embargo, los micénicos eran muy distintos de los minoicos. Éstos eran pacíficos, mientras que los micénicos eran guerreros. Sus palacios estaban rodeados de enormes murallas. En el interior, los gobernantes eran enterrados en grandes tumbas en forma de colmena llamadas *tholoi*. Desde sus fortalezas, los micénicos lanzaban ataques por todo el Mediterráneo.

Cuatro máscaras funerarias fueron encontradas en las tumbas reales de Micenas. Antes se pensaba que ésta era la máscara de Agamenón, un rey de Micenas de la época de la guerra troyana. En la actualidad, los expertos piensan que tiene 300 años más, por lo que no puede ser suya.

Las leyendas sobre los micénicos se remontan a miles de años atrás. Una de ellas, incluida en *La Ilíada,* obra del gran poeta Homero, narra la guerra entre Grecia y Troya. El rey micénico, Agamenón, se dispuso a rescatar a la bella Helena, la mujer de su hermano, a la que el príncipe troyano, Paris, había capturado. Tras diez años de batallas, el ejército de Agamenón consiguió derrotar a Troya valiéndose de argucias: los soldados griegos se escondieron en el interior de un caballo de madera *(abajo),* que fue remolcado al interior de la ciudad por los triunfantes troyanos, quienes pensaban que los griegos se habían retirado. Por la noche, los griegos salieron del caballo para conquistar la ciudad.

LA GUERRA GRIEGA

Las ciudades-estado estaban formadas por una ciudad principal y una serie de aldeas a su alrededor. Cada una de ellas era gobernada por poderosos nobles. A veces, estos nobles eran derrocados por un tirano, alguien que se hacía con el poder por la fuerza.

Hacia el 500 a.C., cada ciudad-estado tenía su propio ejército. Uno de los ejércitos más formidables era el de la ciudad-estado de Esparta, en el sur. Por estas fechas, el período Clásico había comenzado en Grecia y la ciudad-estado de Atenas era cuna de pensadores y artistas. Para los espartanos, sin embargo, lo más importante era hacer la guerra.

La mayoría de los ejércitos griegos estaban formados por hombres jóvenes que se entrenaban como soldados durante dos años al terminar sus estudios. Se les llamaba a unirse al ejército si había una guerra (entonces eran conocidos como reclutas). A diferencia de esto, los espartanos tenían un ejército permanente que siempre estaba preparado para combatir.

Todos los ejércitos griegos peleaban en formación de falange. Formaban filas muy compactas, de forma que sus escudos protegían parcialmente a sus compañeros. Luego avanzaban contra el enemigo como un ariete. Las primeras filas sostenían las lanzas hacia el frente para poder derribar al enemigo desde cierta distancia. Su compacta formación les convertía en blancos difíciles.

Los soldados de a pie de la ciudad-estado griega de Esparta se llamaban *hoplitas*. Llevaban una armadura sobre una túnica corta tableada, un escudo y luchaban con una lanza o una espada.

La civilización micénica desapareció hacia el año 1200 a.C. Tras un período oscuro que duró hasta el 800 a.C., la civilización griega comenzó a desarrollarse. Grecia no era un único país, sino una serie de ciudades-estado independientes que luchaban entre sí para conseguir más poder.

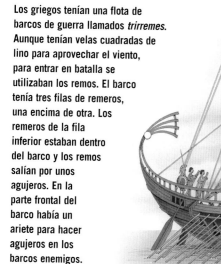
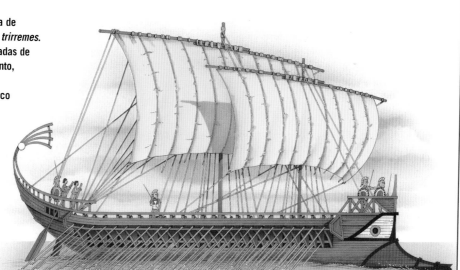

Los griegos tenían una flota de barcos de guerra llamados *trirremes*. Aunque tenían velas cuadradas de lino para aprovechar el viento, para entrar en batalla se utilizaban los remos. El barco tenía tres filas de remeros, una encima de otra. Los remeros de la fila inferior estaban dentro del barco y los remos salían por unos agujeros. En la parte frontal del barco había un ariete para hacer agujeros en los barcos enemigos.

LA VIDA EN ATENAS

EL PERÍODO CLÁSICO fue la época en que Grecia floreció en las artes, la filosofía y la ciencia. La ciudad-estado de Atenas estaba en su máximo esplendor en este período. La ciudad había sido destruida por los persas en el año 480 a.C., pero se reconstruyó con gran lujo. Uno de los más fantásticos proyectos fue el conjunto de edificios sobre la Acrópolis, una gran roca que todavía hoy domina Atenas. En el corazón de los edificios de la Acrópolis estaba el Partenón, un templo de mármol dedicado a la diosa de la ciudad, Atenea.

Mucho de lo que sabemos de los antiguos griegos viene del arte y la literatura de aquella época. La alfarería estaba decorada con escenas de la vida cotidiana. Los escultores creaban bellas estatuas, los filósofos escribían sus pensamientos e ideas y los dramaturgos hacían obras de teatro basadas en hechos reales o mitológicos.

Los antiguos griegos adoraban a muchos dioses y diosas. Se decía que los 12 dioses más importantes vivían en el monte Olimpo, la montaña más alta de Grecia. Zeus era el jefe de los dioses del Olimpo.

Los atletas griegos entrenaban para el festival de deportes que se celebraba cada cuatro años en Olimpia, al sur de Grecia. Este festival fue el predecesor de los Juegos Olímpicos, que todavía hoy se celebra.

El teatro moderno tiene sus raíces en la antigua Grecia. El público se sentaba en asientos de piedra en un auditorio semicircular al aire libre. Los actores llevaban grandes máscaras de comedia o tragedia para que el público pudiera distinguirlos. Estas máscaras son hoy en día el símbolo del teatro.

Cada gran ciudad tenía un teatro, que era un entretenimiento muy popular. La primera forma de teatro fue un festival de canciones y bailes. Más tarde, dramaturgos como Sófocles y Aristófanes empezaron a escribir obras que los actores pudieran representar. Había dos grandes clases: comedia y tragedia. Muchas de estas obras, escritas hace siglos, son todavía famosas.

Las obras de teatro se representaban durante diez días al año. El público iba al teatro durante todo el día. Normalmente veían tres tragedias o tres comedias y una obra corta llamada sátira, que hacía burla de una leyenda o de un acontecimiento serio.

Los templos eran los edificios más importantes de la Grecia clásica *(izquierda).* En el interior había estatuas de los dioses del templo.

Los ciudadanos podían votar a sus líderes, aunque las mujeres y los esclavos no contaban como ciudadanos y por tanto no podían votar. Los ciudadanos atenienses eran miembros de la asamblea de la ciudad, que se reunía una vez por semana. Cualquier ciudadano podía hablar en estas reuniones. Dirigía la asamblea un consejo de 500 personas, elegidas al azar.

Los griegos apreciaban la libertad de expresión. En el centro de muchas ciudades había un espacio abierto, llamado *ágora*, donde se hacían reuniones y discursos políticos. Aparte de su uso principal como mercado, el *ágora* estaba rodeado de templos y tribunales.

Aquí hay un hombre dando un discurso político en un espacio abierto de una ciudad griega. Si el pueblo estaba descontento con un miembro del gobierno, podían votar para retirar a un personaje público de la vida política. Los ciudadanos atenienses hacían pública su opinión escribiéndola en pedazos de arcilla, llamados *ostraka*.

En la antigua Grecia, la gente protestaba por estar gobernada por los ciudadanos ricos y por no poder opinar sobre la forma en que lo hacían. Un nuevo sistema de gobierno llamado *demokratia*, que significa «el gobierno del pueblo», se introdujo en Atenas. Nuestra palabra española «democracia» viene de esta palabra griega. En la democracia griega, todos los ciudadanos podían opinar sobre cómo dirigir la ciudad, del mismo modo que en las democracias actuales.

LA MEDICINA

La base de la medicina moderna viene de la antigua Grecia. Durante el período Clásico, un hombre llamado Hipócrates fundó una escuela de medicina en la isla griega de Kos, donde los diagnósticos de las enfermedades se basaban en el examen de los pacientes. Los doctores tenían que atenerse al juramento hipocrático, que contenía sus deberes y responsabilidades. Los médicos modernos aún tienen que atenerse a este juramento.

Las ruinas de los templos de la Acrópolis son todavía visibles en Atenas. Los griegos usaban columnas como las que sustentan el Partenón para muchos de sus templos y edificios públicos. Las columnas se hacían colocando un bloque de piedra sobre otro. La parte superior de la columna solía estar decorada con relieves.

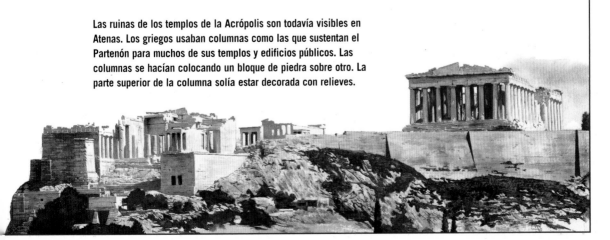

ALEJANDRO EL GRANDE

ALEJANDRO EL GRANDE venía de Macedonia, una zona salvaje y montañosa en la frontera norte de Grecia. Su padre, Filipo, fue rey de Macedonia en el año 359 a.C. y unificó toda Grecia bajo su reinado. Cuando murió en el 336 a.C., Alejandro se convirtió en el nuevo rey a la edad de 20 años.

Había sido educado por el escritor y filósofo griego Aristóteles, lo que le hizo apreciar el arte y la poesía. Pero también era un brillante y valiente soldado y su principal interés era construir un poderoso imperio para Grecia.

La primera batalla de Alejandro fue contra los persas, viejos enemigos de los griegos. En el año 334 a.C., marchó hacia Asia y venció a Darío III, el rey de Persia, y su ejército. A continuación, Alejandro se propuso someter todo el imperio persa bajo el dominio griego. Su siguiente movimiento fue capturar la ciudad fenicia de Tira y luego derrotar a Egipto. Siguió con la captura de tres palacios reales persas en Babilonia, Susa y Persépolis. Pasó tres años conquistando la parte este del imperio persa y luego se dispuso a conquistar el norte de la India en el 326 a.C.

Por aquel entonces, Alejandro y su ejército habían estado en marcha durante 11 años. Él quería adentrarse más en la India pero sus soldados estaban cansados de luchar y ansiaban volver a casa. Alejandro accedió a volver, pero murió víctima de una fiebre en Babilonia en el 323 a.C. Sólo tenía 32 años.

Alejandro era un líder valiente con un gran deseo de conquistar nuevas tierras. Emprendió su marcha con un ejército de 30.000 soldados de a pie y 5.000 a caballo. Luchó durante 11 años para extender el imperio griego.

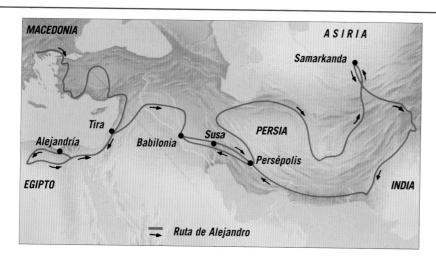

Alejandro el Grande creó un imperio formado por gran parte del mundo conocido de los griegos. Sus viajes le llevaron cerca del Oriente Próximo y a Egipto, luego a Asia y al norte de la India. Para Alejandro, la India era el final del mundo conocido y quería seguir, pero sus soldados se negaron. Su caballo, Bucéfalo, que le acompañó durante todo el trayecto, murió en una batalla contra el rey indio Poros, en el año 326 a.C.

A medida que Alejandro conquistaba más tierras, formaba colonias griegas para evitar que los pueblos recién conquistados se rebelasen. Las colonias, 16 de las cuales eran ciudades llamadas Alejandría, eran gobernadas por sus propios soldados. Pero Alejandro murió sin tener un plan definitivo para su enorme imperio. Con el tiempo, los territorios se dividieron en tres partes, Macedonia, Persia y Egipto, con un general griego al mando de cada una. El período entre la muerte de Alejandro y la derrota del imperio griego a manos de los romanos en el año 30 a.C. se conoce como el período Helenístico.

El período Helenístico fue una época de descubrimientos científicos, y la ciudad de Alejandría en Egipto fue el principal centro de aprendizaje. Muchos poetas y estudiosos fueron a estudiar a Alejandría. Los matemáticos Pitágoras y Euclides desarrollaron aquí sus reglas sobre geometría. Otros estudiaban medicina y el movimiento de las estrellas.

La ciudad de Petra, en Jordania, estaba habitada por el pueblo de los Nabateos. Estuvieron muy influidos por la arquitectura helenística.

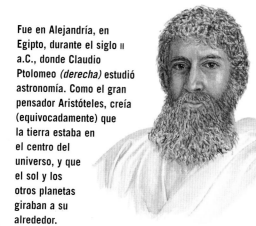

Fue en Alejandría, en Egipto, durante el siglo II a.C., donde Claudio Ptolomeo *(derecha)* estudió astronomía. Como el gran pensador Aristóteles, creía (equivocadamente) que la tierra estaba en el centro del universo, y que el sol y los otros planetas giraban a su alrededor.

Sin un único líder, el imperio de Alejandro era vulnerable de ser atacado y poco a poco fue conquistado por los romanos. Egipto, el centro del pensamiento, sobrevivió más tiempo que el resto del imperio, pero el emperador romano Augusto lo conquistó en el año 30 a.C. La reina era Cleopatra, la última de la familia ptolomea en reinar Egipto. Se suicidó junto con su amante romano, Marco Antonio.

El legado de Grecia ha sobrevivido durante el Renacimiento, el resurgimiento del arte y el pensamiento en el siglo XV en Europa, y ha sido muy influyente desde entonces.

LOS ROMANOS

LOS ROMANOS venían de esa parte de Europa que ahora llamamos Italia. Construyeron un imperio que incluso superó al de Alejandro el Grande.

Grupos de gente del norte de Asia empezaron a asentarse en Italia entre el 2000 y el 1000 a.C. Uno de estos grupos, que hablaba una lengua llamada latín, se asentó en las orillas del río Tíber. Con el tiempo, este asentamiento se convirtió en la ciudad de Roma.

Los romanos tenía muchos reyes pero no estaban contentos con la forma en la que les trataban. Decidieron instaurar una república con un líder, que era elegido por el pueblo, para que gobernara durante un determinado período de tiempo. Si al pueblo no le gustaba cómo hacía las cosas el líder, podían elegir a otro al final de ese período de tiempo.

Roma fue una república durante casi 500 años, tiempo en que el ejército romano conquistó muchas tierras. Pero en el 27 a.C., depués de que Roma derrotara a Egipto y tras las muertes de Antonio y Cleopatra, un dictador se hizo con el poder. Su nombre era Augusto, el primer emperador de Roma. Por esta época, el imperio romano tenía una población de 60 millones de personas.

Bretaña fue una de las conquistas romanas. La reina Boudicca y su tribu, los iquenios, se rebelaron contra los romanos y reconquistaron muchas de sus ciudades en Bretaña antes de ser nuevamente derrotados.

A los soldados romanos de a pie se les conocía como legionarios. Un legionario romano llevaba un casco de hierro y una armadura sobre una túnica de lana y un faldón de cuero. Tenía que llevar su propia espada, una daga, una lanza y sus provisiones.

El primer ejército romano estaba formado por ciudadanos corrientes, pero en la época de mayor esplendor los soldados eran profesionales bien entrenados. El ejército estaba dividido en legiones de unos 6.000 soldados de a pie o legionarios. Una legión estaba formada por diez cohortes, cada una de las cuales tenía seis centurias, o compañías de 100 hombres. A cada legión le acompañaba un grupo de 700 hombres a caballo.

Un soldado romano estaba entrenado para cargar con su propio equipo, que consistía en ropa, una tienda, comida y cacharros además de su armadura y sus armas. El ejército cubría unos 30 km al día eliminando todos los obstáculos. Si se encontraban con un río profundo construían un puente flotante atando maderos.

EL GOBIERNO

Cuando Roma se convirtió en una república, el pueblo estaba decidido a no dejar que una sola persona tuviera demasiado poder; así que eligieron oficiales, llamados magistrados, para que gobernaran. Los magistrados más poderosos eran los dos cónsules elegidos durante un año para gobernar Roma de mutuo acuerdo. Después de un año, la mayoría de los magistrados se convertían en miembros del senado, que aconsejaba a los nuevos oficiales.

Julio César fue un brillante general que conquistó muchas tierras para Roma. Fue elegido cónsul en el 59 a.C., pero no pasó mucho tiempo antes de que quisiera gobernar Roma en solitario. Se convirtió en gobernador de algunas zonas del sur de la Galia (actual Francia) y puso bajo dominio romano al norte de la Galia. Volvió triunfante a Roma y empezó a gobernar como un dictador (alguien que tiene poder absoluto) en el año 46 a.C. Pero algunos senadores estaban celosos de César y querían recuperar el poder para el senado. En el año 44 a.C., un grupo de senadores le apuñalaron en el edificio del senado en Roma.

Tras la muerte de César, dos importantes romanos empezaron a luchar por el poder. Uno de ellos era un cónsul de César, Marco Antonio, que fue amante de Cleopatra, reina de Egipto. El otro era el sobrino nieto de César, Octavio, quien declaró la guerra a Marco Antonio y Cleopatra en el 31 a.C. y les derrotó en la batalla de Actium. Antonio y Cleopatra se suicidaron. Octavio se convirtió en el primer emperador de Roma en el año 27 a.C. y era conocido como Augusto. Los emperadores gobernaron el imperio durante 400 años. No eran reyes pero tenían el poder absoluto. La «corona» del emperador estaba hecha de laurel, signo de victoria militar.

El primer emperador, Augusto, gobernó desde el 27 a.C. hasta el 14 d.C. Trajo la paz al imperio, pero antes de su muerte eligió a su propio sucesor. A partir de entonces, los romanos ya no pudieron elegir a sus mandatarios.

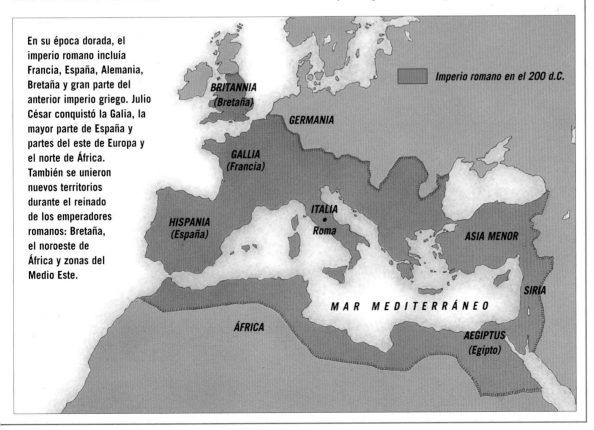

En su época dorada, el imperio romano incluía Francia, España, Alemania, Bretaña y gran parte del anterior imperio griego. Julio César conquistó la Galia, la mayor parte de España y partes del este de Europa y el norte de África. También se unieron nuevos territorios durante el reinado de los emperadores romanos: Bretaña, el noroeste de África y zonas del Medio Este.

Imperio romano en el 200 d.C.

BRITANNIA (Bretaña) · GERMANIA · GALLIA (Francia) · HISPANIA (España) · ITALIA Roma · ASIA MENOR · ÁFRICA · MAR MEDITERRÁNEO · SIRIA · AEGIPTUS (Egipto)

LA VIDA EN LA CIUDAD

A MEDIDA QUE LOS ROMANOS conquistaban nuevas tierras y construían su imperio, contagiaban su estilo de vida a los pueblos conquistados. Todavía hoy siguen presentes muchos signos de ocupación romana.

Los romanos adoptaron muchas ideas de los griegos, pero su civilización tenía muchos aspectos con carácter propio. Los romanos eran excelentes ingenieros y constructores y les gustaba rodearse de comodidades.

Los arqueólogos han encontrado ejemplos de ciudades romanas por todo el imperio. Las primeras casas romanas estaban hechas de ladrillo o piedra, pero los romanos también usaron lo que parece un material muy moderno, el cemento. Algunas de sus casas más modernas se construyeron con cemento decorado con ladrillo o piedra.

Las calles de las ciudades formaban una cuadrícula; es decir, eran rectas y se cruzaban en ángulos rectos. Muchas de las ciudades se construyeron en principio como fuerte para los soldados. Otras se hicieron para aquellos ciudadanos romanos que decidían asentarse en los territorios conquistados. Los pobladores romanos llevaron semillas desde Italia para plantar y cultivar su propio alimento. Hoy en día, algunos tipos de fruta y verdura que originalmente venían de Italia se han hecho típicos de los países a los que los romanos los llevaron.

Los campesinos llevaban sus productos a las ciudades para venderlos en el mercado. El *forum* era el mercado principal y el centro de gobierno. Los romanos usaban monedas; la gente compraba cosas por un precio estipulado en vez de intercambiar mercancías.

Una ciudad romana en Francia. El estilo de vida local y los edificios son romanos.

Los habitantes de Herculano hacían su vida normal horas antes de la erupción del Vesubio.

Muchas de las pruebas que tenemos de las casas y ciudades romanas nos han llegado a través de las ruinas de dos ciudades, Pompeya y Ercolano, que fueron destruidas en el año 79 d.C., con la erupción del volcán Vesubio. Pompeya quedó enterrada por la lava y las cenizas y Herculano desapareció bajo el barro que produjo el volcán. Murieron miles de personas. En ambas ciudades se han descubierto calles enteras con tiendas y casas.

Los romanos más adinerados vivían en grandes villas con mucha habitaciones. En el centro de la villa estaba el *atrium*, el hall principal, que tenía el techo abierto para dejar entrar la luz. Una piscina llamada *impluvium* acumulaba el agua de la lluvia que entraba por este hueco del tejado. Las habitaciones se disponían alrededor del *atrium*.

Las casas de los pobres eran muy distintas. Algunos vivían en pisos encima de las tiendas, o en casas divididas en habitaciones o apartamentos.

Los ciudadanos llevaban una vida de lujo. Nos ha llegado mucha información sobre los muebles de las casas gracias a los murales pintados en Pompeya. La gente se tumbaba en divanes para comer y la comida era servida por esclavos en mesas bajas. La ropa, la comida y los libros se almacenaban en armarios de madera y en baúles. Las mujeres y los invitados podían sentarse en sillas, pero los demás lo hacían en taburetes. Había pocos muebles más. Las casas tenían dormitorios, salones y bibliotecas. Los habitantes de la casa podían pasear por el jardín o adorar al dios del hogar en su santuario.

CONSTRUCCIONES ROMANAS

L OS ROMANOS fueron habilidosos cons-tructores. Erigieron 85.000 km de carreteras y muchos acueductos para llevar el agua de ríos y lagos a las ciudades.

Las carreteras romanas estaban diseñadas por los inspectores que viajaban con el ejército. Estas carreteras intentaban seguir el itinerario más corto y ser lo más rectas posible. Cuando se decidía la ruta, soldados y esclavos cavaban una ancha trinchera. La carretera se construía apilando bloques de piedra, arena y cemento en el interior de la trinchera.

La construcción de un acueducto y una carretera en un valle en la época romana.

EN LOS BAÑOS

Los romanos más adinerados tenían baños y calefacción central en sus casas. El *hipocausto* (el sistema de calefacción) producía calor bajo el suelo y el aire caliente pasaba a las habitaciones a través de canales en las paredes.

La mayoría de las ciudades tenían baños públicos que cualquiera podía visitar. Aparte de ser una forma de mantenerse limpios y sanos, era una oportunidad para hacer amigos y charlar. Los baños tenían varias habitaciones y la gente pasaba de una a otra. En la sala principal, el *caldarium*, un esclavo untaba aceite en el cuerpo del bañista que a continuación se daba un baño templado. Luego iba a una habitación donde de un lavabo de agua muy caliente emanaba vapor (el *sudatorio*, de la palabra latina *sudor*). Allí, se limpiaba el aceite y la suciedad con un aparato llamado *strigil*. Después iba al *tepidarium* para refrescarse un poco antes de entrar en el *frigidarium*, que tenía una piscina de agua fría para cerrar los poros de la piel.

Entre las distintas etapas del baño, la gente se sentaba a charlar o se daba un baño en la piscina de agua templada. También se podía hacer un poco de ejercicio en el gimnasio (el *sphaeristerium*) antes de entrar en los baños.

Los romanos construyeron baños públicos en muchas ciudades por todo el imperio. Algunos siguen hoy en pie. El agua del Gran Baño en Bath, Inglaterra, todavía fluye por los canales que hicieron los romanos.

Los hombres iban a los baños después del trabajo. Las mujeres sólo podían usarlos en determinadas ocasiones.

El agua para los baños y todo lo demás llegaba a la ciudad mediante los acueductos. La palabra acueducto viene de las palabras latinas para «agua» y «transportar». El acueducto era un canal para llevar agua limpia desde ríos y lagos a las ciudades, normalmente a nivel del suelo o a través de tuberías subterráneas. Los acueductos que cruzaban valles se sostenían con arcos. Todavía se pueden ver unos 200 acueductos romanos por todo el antiguo imperio.

El acueducto romano de Pont du Gard, cerca de Nimes, Francia, 2.000 años después de su construcción. Los romanos buscaban un río o un lago que estuviera ligeramente más alto que la ciudad a la que abastecía. Luego construían el acueducto para que el agua fluyera gradualmente colina abajo hacia la ciudad. Las hileras de arcos que cruzaban los valles tenían que tener la misma pendiente que el resto del canal.

CHINA

HUBO UN GRAN PERÍODO de intranquilidad en China entre el 475 y el 221 a.C. Los Zhou tenían aún el poder pero los diferentes estados de China se fueron independizando y empezaron a luchar entre sí.

China se unió de nuevo bajo el reinado de un poderoso grupo de guerreros, los Qin, que poco a poco quitaron poder a los estados en guerra y los unieron su dominio. Después de muchas batallas, el líder de los Qin asumió el papel de emperador en el año 221 a.C. Se llamó a sí mismo Qin Shi Huangdi, que significa «el primer emperador de los Qin». Shi Huangdi dirigía el gran imperio desde la capital, Xianyang.

Shi Huangdi era un hombre recio y seguro pero tenía un gran temor a la muerte. En tiempos remotos, la gente adoraba a muchos dioses diferentes. La mayoría también creía en la vida después de la muerte, pero al ser algo desconocido, tenían miedo de lo que pudiera pasarles. Shi Huangdi no era una excepción. Poco después de convertirse en emperador, empezó a diseñar su tumba y 700.000 trabajadores comenzaron a construirla. El emperador quería que un ejército de 600.000 soldados de terracota de tamaño natural guardaran su tumba.

El emperador tenía que mantener un gran ejército para proteger su nuevo imperio. Sus guerreros tenían lanzas y espadas de bronce y disparaban flechas con un arco. Un soldado normal se protegía con una armadura hecha de escamas metálicas unidas. Llevaba una bufanda que evitaba que la armadura le rozara el cuello. El pelo iba recogido en una coleta en lo alto de la cabeza atada con un pañuelo.

El ejército de terracota de Shi Huangdi permaneció intacto durante cientos de años hasta que unos trabajadores chinos encontraron algunas estatuas cuando cavaban un pozo. Los arqueólogos comenzaron a excavar la zona y en 1974 encontraron la tumba del emperador. El ejército de guerreros, algunos a caballo y llevando armas, estaba bien conservado y nos muestra cómo eran los soldados de la época. Cada soldado tenía un rostro diferente, por lo que puede que fueran retratos de los hombres del verdadero ejército del emperador.

Los soldados de terracota estaban en un principio pintados con brillantes colores, aunque ya se habían estropeado cuando los encontraron.

LA GRAN MURALLA

A pesar del poder de Shi Huangdi y su ejército, su imperio estuvo bajo constantes amenazas por parte de tribus como los Hunos, nómadas que vivían en el norte de China. Estos fieros guerreros no vivían en un lugar determinado sino que viajaban saqueando ciudades y pueblos, llevándose todo lo que querían y matando a sus habitantes. Shi Huangdi decidió construir una enorme muralla por toda la frontera norte de China para alejar a los invasores. Cuando estuvo terminada, la Gran Muralla medía 2.400 km.

La Gran Muralla hoy.

Cuando había amenaza de invasión en cualquier parte de la Gran Muralla, los soldados más cercanos avisaban a los demás encendiendo una hoguera. Éstos corrían a ayudar a rechazar al invasor disparando flechas desde las almenas y usando catapultas.

La Gran Muralla era una construcción increíble para aquella época. Millones de hombres trabajaron en su construcción y cada trozo de piedra tenía que transportarse hasta el norte en cestos. La muralla tenía torres cada 200 m, y allí vivían los soldados que la vigilaban.

Shi Huangdi murió repentinamente en el 210 a.C. y a la dinastía Qin le sucedió una nueva dinastía, los Han, en el 206 a.C. El trabajo en la Gran Muralla continuó durante siglos después de la muerte del emperador que la comenzó. La mayor parte de la muralla que se ve hoy se construyó durante los siglos XIV y XVI d.C., durante la dinastía Ming. Una vez reconstruida y aumentada, la muralla medía 6.000 km de largo. Mide 10 m de alto y es tan ancha que, en la parte superior, permite el paso de diez hombres a la vez. Sigue siendo la estructura más grande construida por el hombre.

La construcción de la Gran Muralla china. Había que extraer la roca y transportarla a través de las montañas. La muralla se construyó a lo largo de las cimas de las montañas para hacer aún más difícil la invasión. Los soldados que vigilaban desde las almenas podían ver acercarse a los atacantes y avisar a los soldados que estaban más lejos.

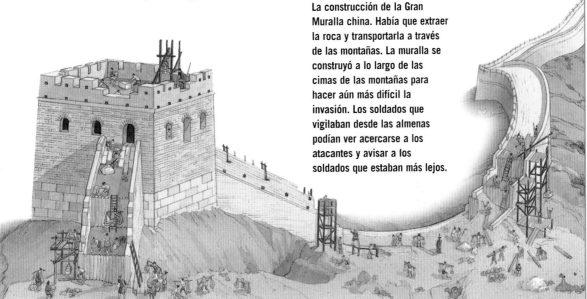

LA AMÉRICA ANTIGUA

LA GENTE se asentó en América hace poco tiempo en comparación con otros continentes. Desarrollaron sus civilizaciones de forma independiente a otros lugares del mundo. Ni siquiera sabían que había otros lugares en el mundo.

Los hombres, que cazaban mamuts, ciervos y otros animales, cruzaron desde Asia a América entre hace unos 35.000 y unos 15.000 años. Era el período Glacial. Como había mucha agua congelada, el nivel del mar era más bajo. Lo que hoy conocemos como el estrecho de Bering era tierra seca en aquellos tiempos. Cuando terminó el período Glacial, hacia el 10000 a.C., el hielo se derritió y subió el nivel del mar, separando América del resto del mundo.

En algunas zonas del continente, los hombres tenían que comer plantas en lugar de animales. Los primeros granjeros trabajaron la tierra en lo que hoy es México y Perú.

Los olmecas, la primera civilización de México, esculpían enormes cabezas de piedra como esta. Cada cabeza pesa unas 20 t. Parecen iguales pero son distintas, ya que son las imágenes de los gobernantes. La marca del casco indica quién es el jefe.

LOS OLMECAS

Los olmecas vivían en las tierras pantanosas cercanas al Golfo de México. Desarrollaron su civilización hacia el 1200 a.C. Sus gentes eran artistas y mercaderes que no querían conquistar otras partes de América. Adoraban a sus dioses y construían templos en forma de pirámide, un estilo adoptado posteriormente por las civilizaciones mexicanas.

Los comerciantes viajaban por todo México buscando materias primas para sus trabajos, como el jade, y comerciando con los productos terminados. Sus viajes les pusieron en contacto con otros pueblos en cuyo arte influyeron. La civilización olmeca desapareció hacia el año 300 a.C.

Esta escena muestra un bosque cerca de la costa norte de América hacia el 1500 a.C. A medida que el clima se fue haciendo más cálido al final del período Glacial, los árboles volvieron a crecer formando espesos bosques. Los cazadores empezaron a cazar a los animales del bosque, como los ciervos. Como la gente del Medio Este y el resto del mundo, los cazadores nativos americanos inventaron y usaron tiradores de lanzas. Las mujeres recogían bayas y nueces mientras que los hombres cazaban con lanzas, o pescaban con redes en ríos y lagos. Pescaban desde la orilla y si el agua era profunda, desde canoas hechas con troncos.

TEOTIHUACÁN

El siguiente gran paso en la civilización mexicana fue la construcción de la gran ciudad de Teotihuacán (a unos 50 km de la actual Ciudad de México). Teotihuacán era un lugar de peregrinaje: una cueva que era considerada como el lugar de nacimiento del sol. La Gran Pirámide del Sol se construyó sobre esta cueva en el siglo I d.C. y a su alrededor se dispuso una magnífica ciudad. La pirámide todavía se conserva.

En su mejor época, en Teotihuacán vivían unas 200.000 personas. Era una de las ciudades más grande del mundo. La gente rica vivía cerca del centro, mientras que los agricultores y los artesanos tenían sencillas casas en las afueras.

Los guerreros-sacerdotes eran los señores de la sociedad moche. Vestían ropas y tocados finamente elaborados y llevaban valiosas joyas de oro.

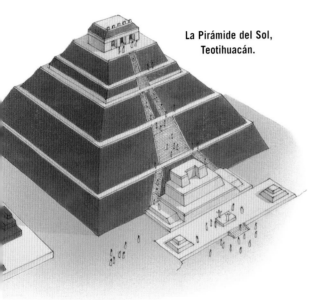

La Pirámide del Sol, Teotihuacán.

Teotihuacán fue destruido en el año 750 d.C. y todos sus habitantes se mudaron, aunque siguió siendo un centro de peregrinaje. Es probable que influyera a los aztecas, cuando construyeron su ciudad de Tenochtitlán cientos de años más tarde.

LOS REINOS PERUANOS

También el pueblo moche construyó una pirámide gigante en Perú, América del Sur. Era el Huaca del Sol (también conocida como la Pirámide del Sol), que se levantaba 41 m sobre la llanura en la que se encontraba. En la cima había palacios, templos y santuarios. Más de 143 millones de ladrillos de barro se utilizaron para construir este inmenso complejo.

Los moches eran brillantes alfareros y herreros y construyeron un reino de miles de habitantes. Su civilización duró unos 800 años hasta el 800 d.C. Los gobernantes moches eran guerreros-sacerdotes, extremadamente ricos y poderosos. Conducían a sus ejércitos a conquistar los territorios vecinos y presidían los sacrificios de los prisioneros a los dioses.

Los moches comerciaban con otros pueblos de Perú. Entre ellos estaban los nazca, que vivían al borde del desierto, hacia el sur. El pueblo nazca esculpió cientos de líneas en la arenosa superficie del desierto, y también una serie de extraños dibujos que incluyen pájaros, monos, arañas y otros animales. Sólo se pueden ver bien desde el aire. Por qué el pueblo nazca hizo estas líneas y dibujos —mucho antes de que se inventara el avión— sigue siendo un misterio.

Nadie sabe qué significan las pinturas nazca, pero puede que formaran parte de un ritual religioso.

ÁFRICA

LAS PRIMERAS formas de arte en África son pinturas sobre las rocas del desierto del Sáhara, una verde y fértil región, hace 8.000 años. Grupos de cazadores-recolectores vivían allí, pero a medida que el Sahara se secaba se fueron moviendo. Algunos fueron al este y se encontraron con la antigua civilización egipcia. Otros fueron hacia el sur.

Hacia el año 500 a.C. algunos pueblos habían aprendido a extraer y trabajar metales como el hierro. Cuando se extendieron por África, se llevaron sus conocimientos consigo.

Las primeras muestras de escultura africana se encontraron en Nok, en Nigeria. Estas cabezas y figuras de terracota datan de entre el 500 y el 200 a.C. Es probable que inspiraran a artistas de una civilización posterior en Ife, Nigeria.

El pueblo nok empezó a trabajar el hierro alrededor del 400 a.C., posiblemente lo descubrieron a través de los comerciantes que atravesaban el Sahara. El hierro era perfecto para hacer hachas –utilizadas para talar árboles– y otras herramientas. Se fundía en un horno de barro. El metal derretido pasaba a un contenedor que había bajo el fuego.

OCEANÍA

OCEANÍA ABARCA las islas de Australia y Nueva Zelanda, Papúa Nueva Guinea y las otras islas del Pacífico Sur. Las primeras en ser pobladas fueron Australia y Nueva Guinea. La gente que se convertiría en los aborígenes emigró a Australia desde el sudeste asiático, probablemente hace 50.000 años. También en Nueva Guinea se asentó gente de Asia hace unos 40.000 años.

Las otras islas no fueron pobladas hasta hace unos 5.000 años. Nueva Zelanda permaneció deshabitada hasta hace sólo 1.000 años. Encontrar estas islas en el pasado implicaba el riesgo de viajar largas distancias en canoas. Los primeros pobladores eran hábiles marineros.

Una canoa polinesia llamada *wa'a kaula*.

Polinesia está formada por muchas islas separadas entre sí por miles de kilómetros, diseminadas por el océano Pacífico. Los antecesores de los polinesios construyeron grandes canoas para explorar estas islas, algunas lo suficientemente grandes para que cupieran 100 personas. Llegaron grupos desde Asia que encontraron el camino en el mar observando las estrellas. El descubrimiento de las islas fue gradual y pasaron miles de años hasta que estuvieron bastante pobladas.

Los aborígenes de Australia eran cazadores-recolectores, pero los habitantes de Nueva Guinea se hicieron campesinos hace unos 9.000 años. Hay pruebas de que cultivaban batatas, cocos, bananas y caña de azúcar.

Los aborígenes creían en una vida espiritual eterna conocida como el «sueño eterno». Su música, sus bailes, su poesía y su escultura estaban inspirados en sus creencias religiosas. Tenían un instrumento musical, el *didgeridoo,* que era un largo tubo de madera. El clima era muy importante para los aborígenes. Muchos de sus rituales incluían la fertilidad de la tierra y el crecimiento de nuevas plantas.

La isla de Pascua está a 3.700 km de la costa de Chile, América del Sur. Hay unas 600 enormes cabezas de piedra localizadas por toda la isla. Quién las construyó, cómo y por qué sigue siendo un misterio.

Los primeros pobladores debieron llegar a la isla de Pascua entre el 400 y el 500 d.C. Construyeron largos altares como plataformas en la costa para realizar rituales religiosos. Las cabezas no se esculpieron hasta más tarde. Estaban en los altares, mirando hacia la isla, pero no es probable que fueran estatuas de dioses. Parecen más los predecesores de los habitantes de la isla.

Las estatuas se esculpieron en la cantera de donde sacaron la piedra; sólo los ojos se añadieron una vez que estuvieron colocadas. Nadie sabe cómo consiguieron colocar estos enormes bloques de piedra.

Estatuas en la isla de Pascua.

CRONOLOGÍA

c.125.000 Aparecen en África los primeros hombres modernos, los *homo sapiens sapiens*.

c.40.000 El *homo sapiens sapiens* llega a Europa.

c.5000 Las primeras comunidades agrícolas se asientan en el río Nilo, en Egipto.

c.4500 La agricultura se extiende a casi todo el oeste de Europa.

c.3400 Egipto se desarrolla como dos reinos, el Alto y el Bajo Egipto.

c.3100 Egipto se une bajo el primer faraón, Menes.

c.3000 Se desarrollan las ciudades más importantes.

c.2575 Comienzo del Imperio Antiguo en Egipto. Poderosos faraones envían expediciones para encontrar y traer tesoros. Empieza el trabajo en las pirámides de Giza. Se convierten en una de las Siete Maravillas del Mundo antiguo. Los nobles locales se hacen cada vez más ricos y poderosos. Al final, la unificación de Egipto fracasa y durante 100 años se sucede una guerra civil que termina con el Imperio Antiguo en el año 2134.

c.2300 Comienza la edad de bronce en Europa.

c.2040 Comienzo del Imperio Medio en Egipto. El reino está unido bajo un rey de Tebas, Mentuhotep. Empiezan a llegar invasores de Hyksos desde Siria hacia el 1730. Poco a poco se hacen con el control de Egipto (hay al menos cinco reyes de Hyksos en Egipto). El Imperio Medio termina en el caos en 1640 a.C.

c.2000 La civilización minoica comienza en Creta.

c.2000 Se desarrollan barcos de mar con velas en el Egeo.

c.1560 El príncipe tebano Ahmose saca a los hyksos de Egipto y comienza el Imperio Nuevo. Durante este período, Egipto controla Nubia y gran parte de Siria y Canaán. Los faraones ya no se entierran en pirámides sino en tumbas más pequeñas en el Valle de los Reyes.

c.1550 Comienza la civilización micénica en Grecia.

c.1500 Se desarrolla la escritura en China y Grecia.

c.1450 Desaparece la civilización minoica.

c.1377 Akenatón, faraón de Egipto, promueve el culto a un solo dios, Atón.

c.1290 Ramsés II (Ramsés el Grande) sube al trono de Egipto y reina durante 67 años. Los hititas emprenden una guerra contra Egipto durante su reinado y pelean en la batalla de Qadesh. Aunque ningún bando gana, Ramsés registró la batalla como una victoria de Egipto.

c.1200 Egipto es saqueado por unos grupos llamados pueblos del mar, que son derrotados por el ejército del faraón Ramsés III.

c.1200 La civilización micénica de Grecia desaparece.

c.1200 La civilización olmeca comienza en México.

c.1160 a.C. Muerte de Ramsés III, el último gran faraón de Egipto.

c.1000 Los fenicios llegaron a expandir toda su influencia por el mar Mediterráneo. Desarrollaron un sistema de escritura, la base de la escritura moderna en el oeste de Europa.

c.800 Comienza la civilización etrusca en Italia.

c.800 Se fundan las ciudades-estado en Grecia.

753 La fecha tradicional de la fundación de Roma.

510 Tarquino el Soberbio, el último rey de Roma, es eliminado y Roma se convierte en una república con dos clases soicales, los patricios (nobles) y los plebeyos (trabajadores).

c.500 El ocaso del período Clásico de Grecia y el comienzo del gobierno democrático. Cada ciudad-estado tiene su propio ejército, aunque sólo es profesional el de Esparta.

490 Los persas invaden Grecia y asolan Atenas. Son derrotados en la batalla de Maratón.

480 La flota persa es derrotada por los atenienses en la batalla de Salamis.

479 Los griegos derrotan a los persas en Platea. Esta victoria marca el final de la invasión persa de Grecia.

449 Los griegos hacen las paces con Persia. Atenas comienza a florecer bajo su nuevo líder, Pericles. Se construye el Partenón.

431-404 Las guerras del Peloponeso entre Atenas y Esparta. Atenas se rinde a Esparta.

371 Los espartanos son derrotados por el general Epaminondas, de la ciudad-estado de Tebas. Esto acaba con el reinado espartano.

359 Filipo se hace rey de Macedonia, en el norte de Grecia.

338 Filipo de Macedonia derrota a los griegos en la batalla de Chaerona y consigue anexionar Grecia.

336 Filipo es asesinado y su hijo Alejandro se convierte en el rey de Macedonia.

334 Alejandro el Grande invade Persia y derrota a Darío III.

326 Alejandro conquista el norte de India.

323 Alejandro muere en Babilonia. Comienza el período Helenístico en Grecia.

300 La civilización olmeca desaparece en México.

264-241 La primera guerra púnica con Cartago da a Roma el control de Sicilia.

218-201 La segunda guerra púnica. Aníbal de Cartago invade Italia marchando con 36 elefantes por los Alpes.

149-146 La tercera guerra púnica. Roma destruye Cartago. El norte de África se convierte en una provincia romana.

146 Roma domina Grecia.

c.100 Comienza la civilización moche en Perú.

59 Julio César es elegido cónsul de Roma.

58-49 Julio César conquista la Galia e invade Bretaña dos veces.

46 Julio César gobierna Roma como un dictador. Cleopatra es nombrada reina de Egipto.

44 Julio César es apuñalado por Bruto y un grupo de senadores.

43 Marco Antonio y Octavio, el sobrino de César, llegan al poder de Roma.

31 Octavio derrota a Antonio y Cleopatra en la batalla de Actium.

30 Muerte de Antonio y Cleopatra.

27 Octavio se convierte en Augusto, el primer emperador de Roma.

c.5 Nacimiento de Jesús de Nazaret, el fundador del cristianismo.

14 d.C. Augusto muere y su hijastro Tiberio se convierte en emperador de Roma.

c.30 Jesús de Nazaret es crucificado en Jerusalén.

37 Calígula se convierte en emperador de Roma a la muerte de Tiberio.

41 Calígula es asesinado y su tío Claudio se convierte en emperador de Roma.

54 Claudio es envenenado por su esposa. Su hijo Nerón se convierte en emperador.

64 Un incendio destruye parte de Roma.

79 Pompeya y Herculano destruidas por la erupción del Vesubio.

117 Esplendor máximo del imperio romano. Adriano se convierte en emperador.

313 El cristianismo se convierte en religión oficial en el imperio romano bajo el emperador Constantino.

330 Constantinopla (ahora Estambul, Turquía) se convierte en la capital del imperio romano.

410 Los bárbaros visigodos invaden Italia y saquean Roma.

ÍNDICE

Los números de página en **negrita** son los títulos principales.